D1127938

Un amour de petite sœur

Une histoire écrite par Laurence Pain
illustrée par Claude et Denise Millet

LES BELLES HISTOIRES
BAYARD POCHE

Dans une île ensoleillée,
une maman vient d'avoir un bébé.
Cette maman, c'est aussi la maman de Rico.

Ce mardi-là, dans la petite maison en terre séchée,
toutes les mamans du village admirent
le nouveau-né dans son panier :
– Quel joli cœur ! dit l'une.
– Qu'il est mignon ! ajoute une autre.
– Vraiment trop trognon ! s'exclame une troisième.
– Un vrai bonheur ! s'écrient-elles toutes ensemble.
Et elles ne cessent d'aller et venir,
soulevant le rideau
qui sert de barrière aux moustiques.

Dès que tout le monde est parti,
Mama Léa, qui jamais ne sourit,
arrive avec ses calebasses et ses grigris.
Quand elle passe, même les chats s'enfuient !
Elle gronde : – On n'a pas idée
de mettre au monde un bébé le mardi !
Les bébés du mardi ne sont jamais contents,
ils ont toujours faim,
ils pleurent tout le temps !
Ces bébés-là n'apportent que des soucis !
« Souci »... Tiens, voilà un prénom pour votre bébé.
Mais, moi, je vous conseille de l'abandonner
dans le désert, entre deux pierres !
Et Mama Léa s'en va, toute tassée
comme un vieux papier froissé.

La maman de Rico s'est endormie.
Rico s'approche du panier sur la pointe des pieds,
et il voit une jolie petite frimousse
qui le regarde avec deux yeux immenses.
Il pense : « C'est impossible !
Un si beau bébé ne peut pas être un tas de soucis !
On ne peut pas l'abandonner
dans le désert, entre deux pierres ! »
Rico doit sauver le bébé.

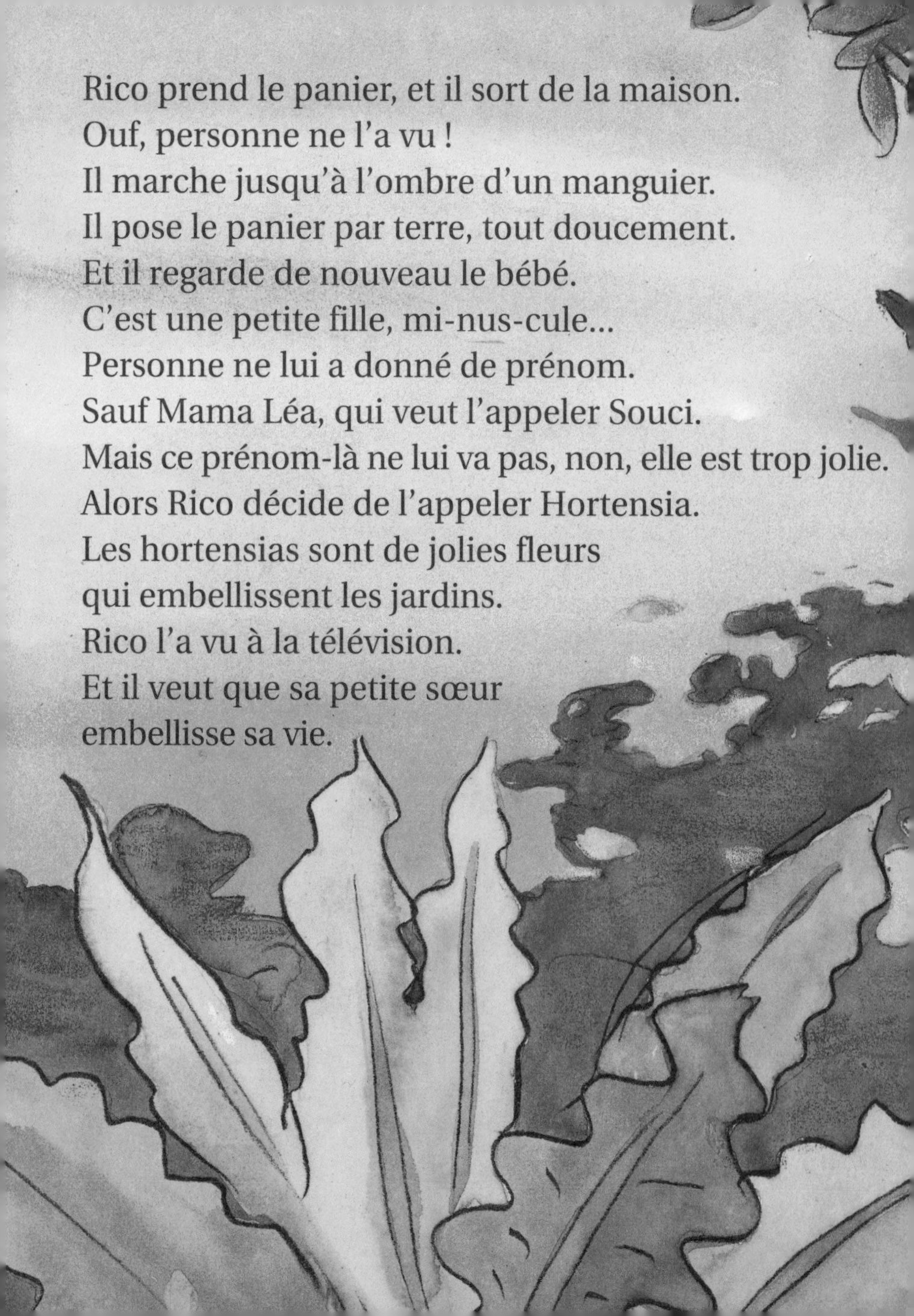

Rico prend le panier, et il sort de la maison.
Ouf, personne ne l'a vu !
Il marche jusqu'à l'ombre d'un manguier.
Il pose le panier par terre, tout doucement.
Et il regarde de nouveau le bébé.
C'est une petite fille, mi-nus-cule...
Personne ne lui a donné de prénom.
Sauf Mama Léa, qui veut l'appeler Souci.
Mais ce prénom-là ne lui va pas, non, elle est trop jolie.
Alors Rico décide de l'appeler Hortensia.
Les hortensias sont de jolies fleurs
qui embellissent les jardins.
Rico l'a vu à la télévision.
Et il veut que sa petite sœur
embellisse sa vie.

Soudain, Hortensia se met à pleurer.
Rico prend sa petite sœur dans ses bras
et il commence à la bercer.
Les maman font souvent ça
pour calmer leurs bébés.
Mais Hortensia ne veut pas se taire.
Elle ouvre en grand sa minuscule bouche,
elle plisse fort ses beaux yeux noirs,
et elle pleure, elle crie, elle hurle !
Rico se met à marcher de long en large
en chantant une berceuse,
celle que sa maman lui fredonnait
quand il était petit.
Mais Hortensia crie encore plus fort.
Mama Léa aurait-elle raison ?
Ce bébé du mardi lui donne bien du souci.

Rico n'a pas l'habitude de s'occuper d'un bébé.
Il regarde autour de lui, et il aperçoit un cocotier.
Il boirait bien un peu de lait de noix de coco.
Rico regarde sa petite sœur pleurer.
Peut-être qu'elle aimerait ça, elle aussi ?
Peut-être qu'elle a soif, comme lui.
Vite, Rico repose Hortensia dans son panier,
il grimpe au cocotier
et il cueille le fruit le plus gros.

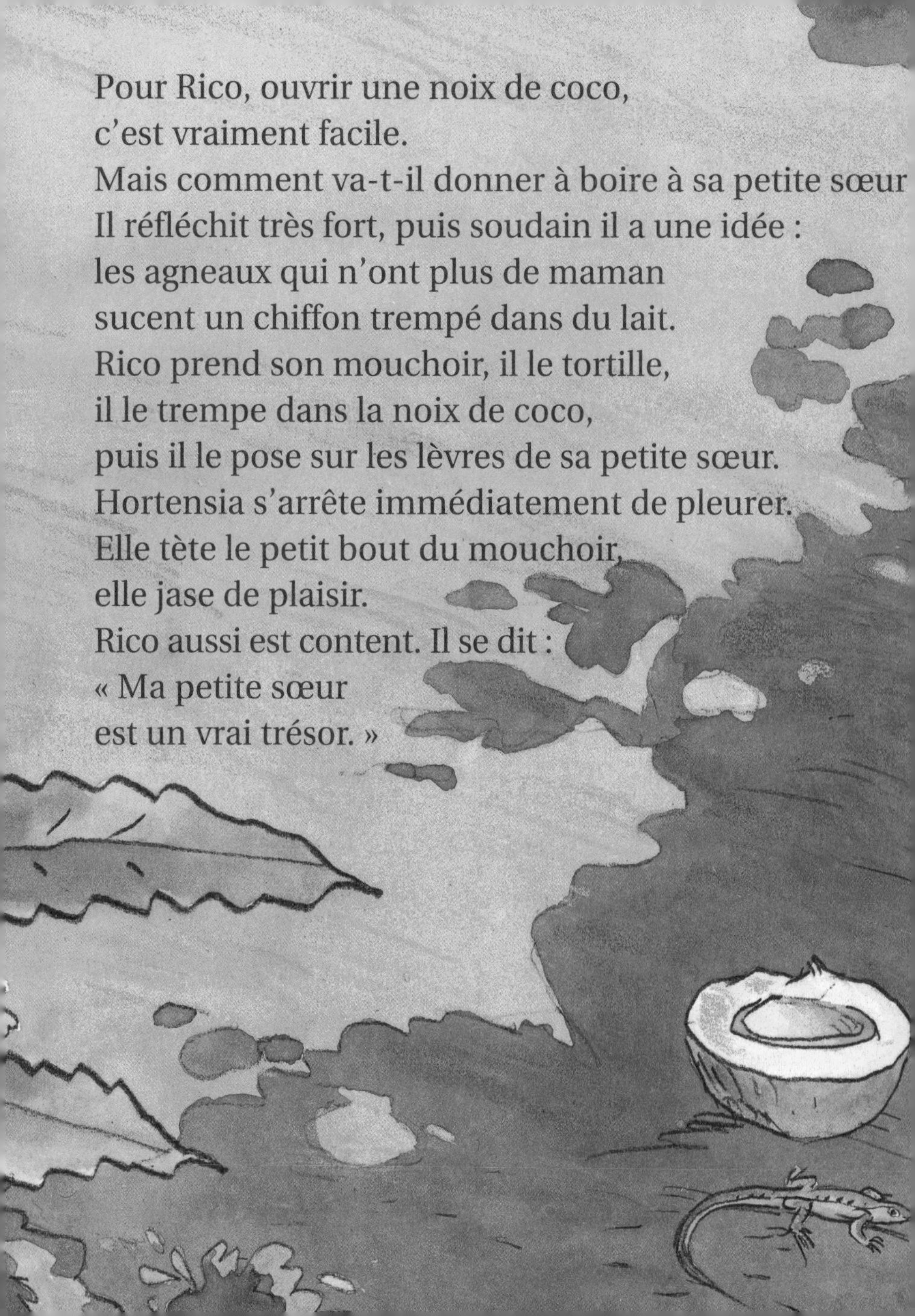

Pour Rico, ouvrir une noix de coco,
c'est vraiment facile.
Mais comment va-t-il donner à boire à sa petite sœur
Il réfléchit très fort, puis soudain il a une idée :
les agneaux qui n'ont plus de maman
sucent un chiffon trempé dans du lait.
Rico prend son mouchoir, il le tortille,
il le trempe dans la noix de coco,
puis il le pose sur les lèvres de sa petite sœur.
Hortensia s'arrête immédiatement de pleurer.
Elle tète le petit bout du mouchoir,
elle jase de plaisir.
Rico aussi est content. Il se dit :
« Ma petite sœur
est un vrai trésor. »

Hortensia a bu beaucoup de lait de coco.
Elle s'endort en souriant.
Rico boit le reste du lait, et il pense :
« Mama Léa s'est trompée,
ma petite sœur ne pleure pas tout le temps ! »
Soudain, un gros moustique se met à tourner
autour d'Hortensia.
Il bourdonne, il fait beaucoup de bruit,
la peau si douce du bébé lui fait envie !
Rico le chasse d'une grande claque.
Et, pour que sa petite sœur ne soit pas piquée
par d'autres moustiques,
il décide de lui construire un abri,
bien caché derrière les bananiers.

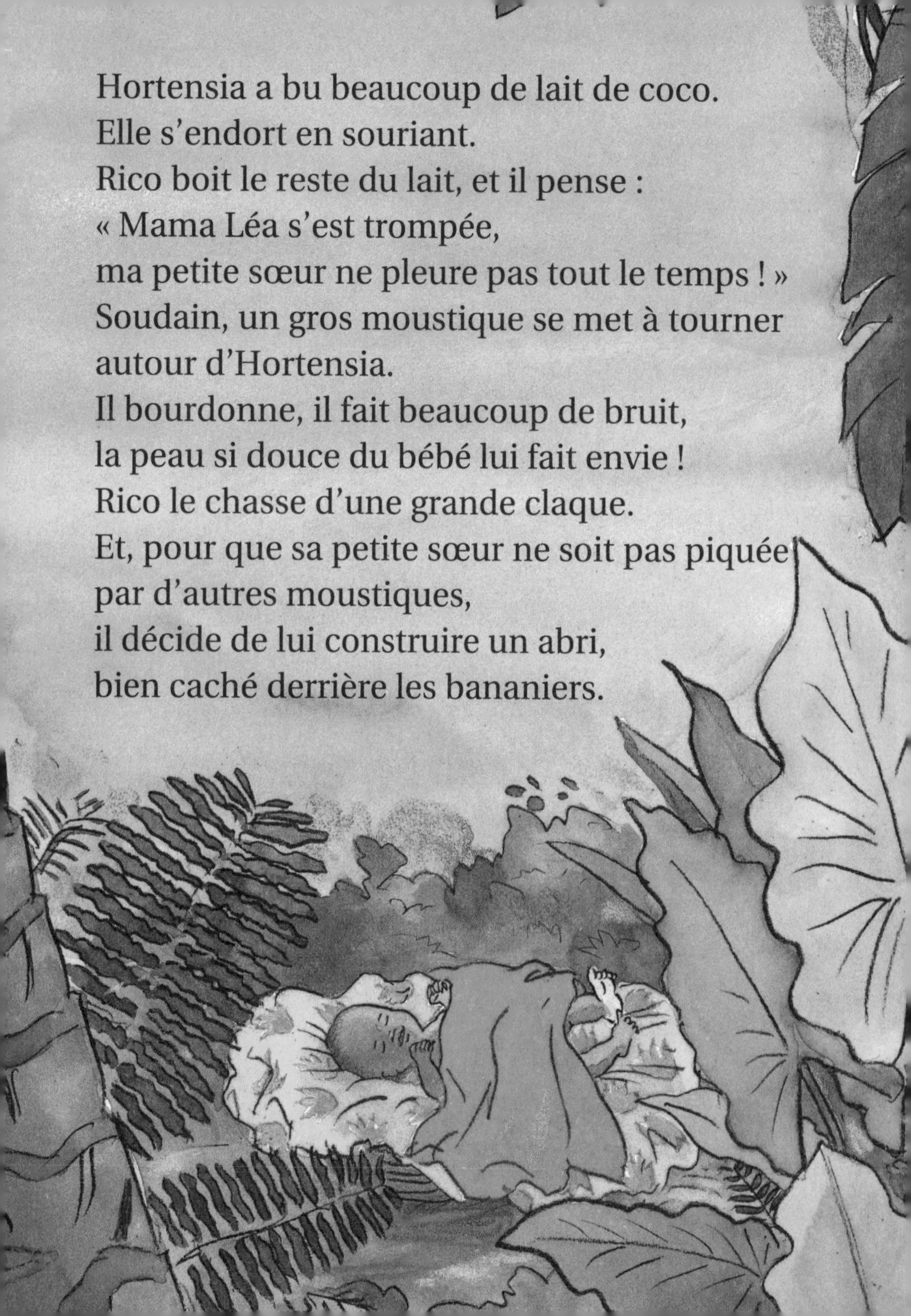

Rico coupe des feuilles bien larges,
et il fabrique une cabane entre les troncs d'arbres.
Des palmes feront le toit de leur maison,
et, pour la porte, Rico prend dans le panier
le grand tissu qui couvre le bébé.
Ce sera bien pratique contre
les moustiques !

À l'abri dans la cabane,
Rico s'assoit près d'Hortensia.
Au bout d'un moment, Hortensia cligne des yeux.
Puis elle ouvre grand sa minuscule bouche,
elle plisse fort ses beaux yeux noirs,
et elle pleure, elle crie, elle hurle !
Rico approche son mouchoir
encore humide des lèvres du bébé,
mais Hortensia n'en veut pas.
Que faire ? Rico pense à sa maman, là-bas,
dans la maison en terre séchée.
C'est sûr, elle, elle saurait consoler son bébé.

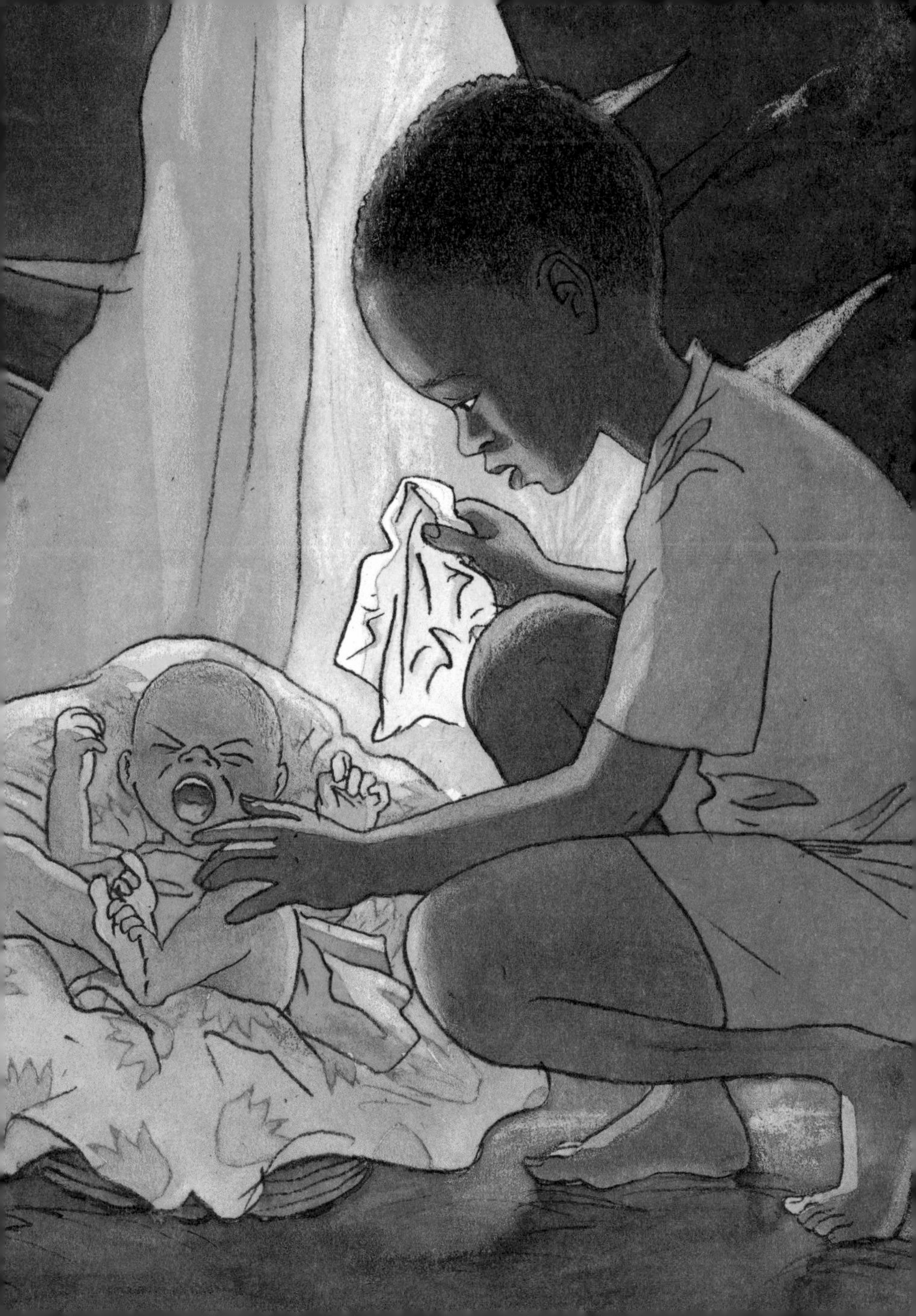

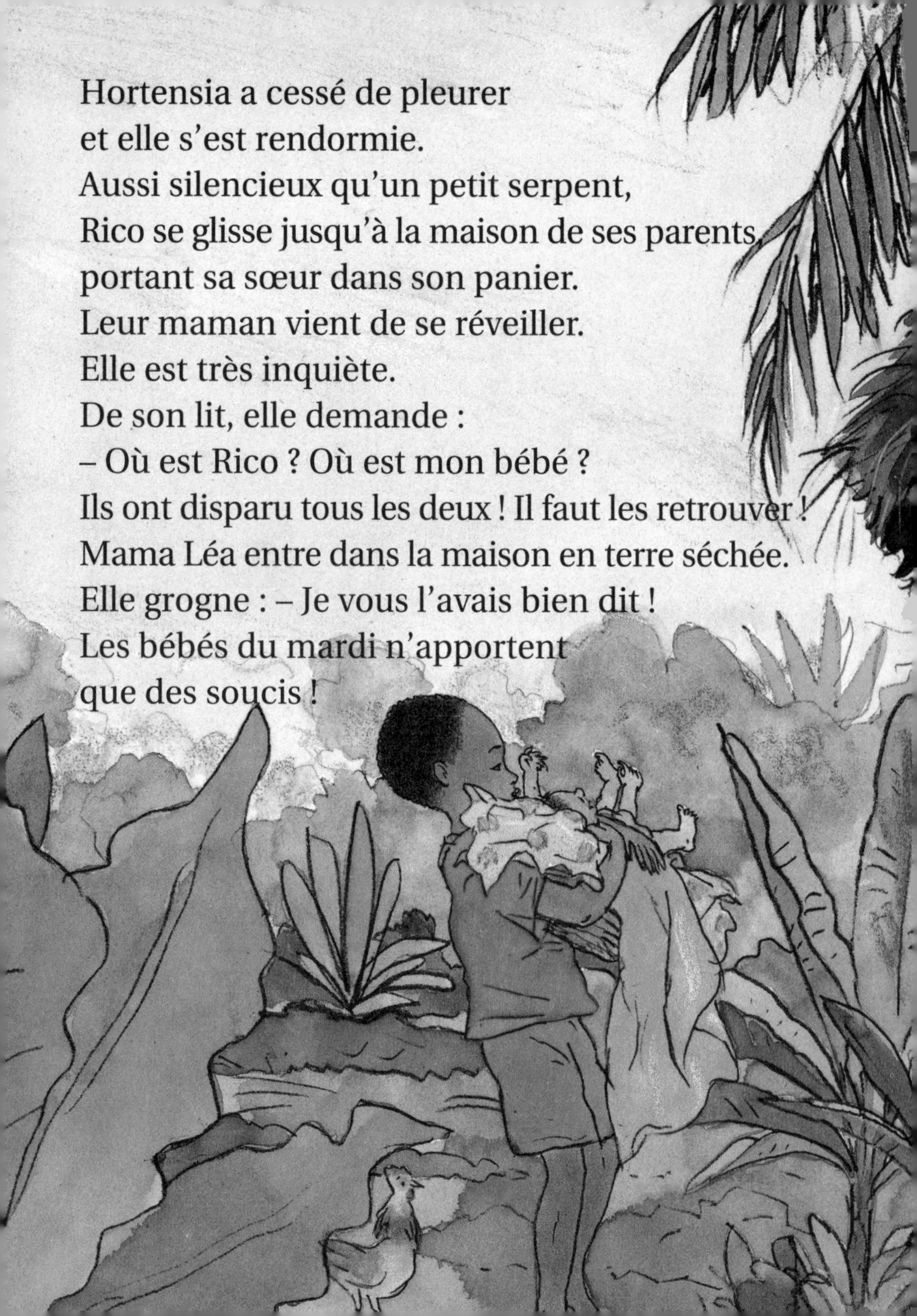

Hortensia a cessé de pleurer
et elle s'est rendormie.
Aussi silencieux qu'un petit serpent,
Rico se glisse jusqu'à la maison de ses parents,
portant sa sœur dans son panier.
Leur maman vient de se réveiller.
Elle est très inquiète.
De son lit, elle demande :
– Où est Rico ? Où est mon bébé ?
Ils ont disparu tous les deux ! Il faut les retrouver !
Mama Léa entre dans la maison en terre séchée.
Elle grogne : – Je vous l'avais bien dit !
Les bébés du mardi n'apportent
que des soucis !

Quand Rico entend cela,
il entre dans la pièce, et il crie à Mama Léa :
– C'est pas vrai ! Vous dites n'importe quoi !
Ma sœur a bien dormi cet après-midi,
elle a bu le lait de coco sans rouspéter !

Elle ne s'appelle pas Souci, mais Hortensia,
parce qu'elle est jolie comme une fleur !
C'est moi qui l'ai emmenée...
Je ne voulais pas qu'on l'abandonne
dans le désert, entre deux pierres.

La maman de Rico prend Hortensia
au creux de ses bras.
Elle sourit, et elle dit : – C'est gentil, Rico,
de t'être occupé de ta petite sœur.
Mais tu as eu une drôle d'idée.

Jamais je n'aurais abandonné mon bébé !
Alors, toute tassée comme un vieux papier froissé,
Mama Léa s'en va,
avec ses calebasses et ses grigris.
Et jamais elle ne reviendra.

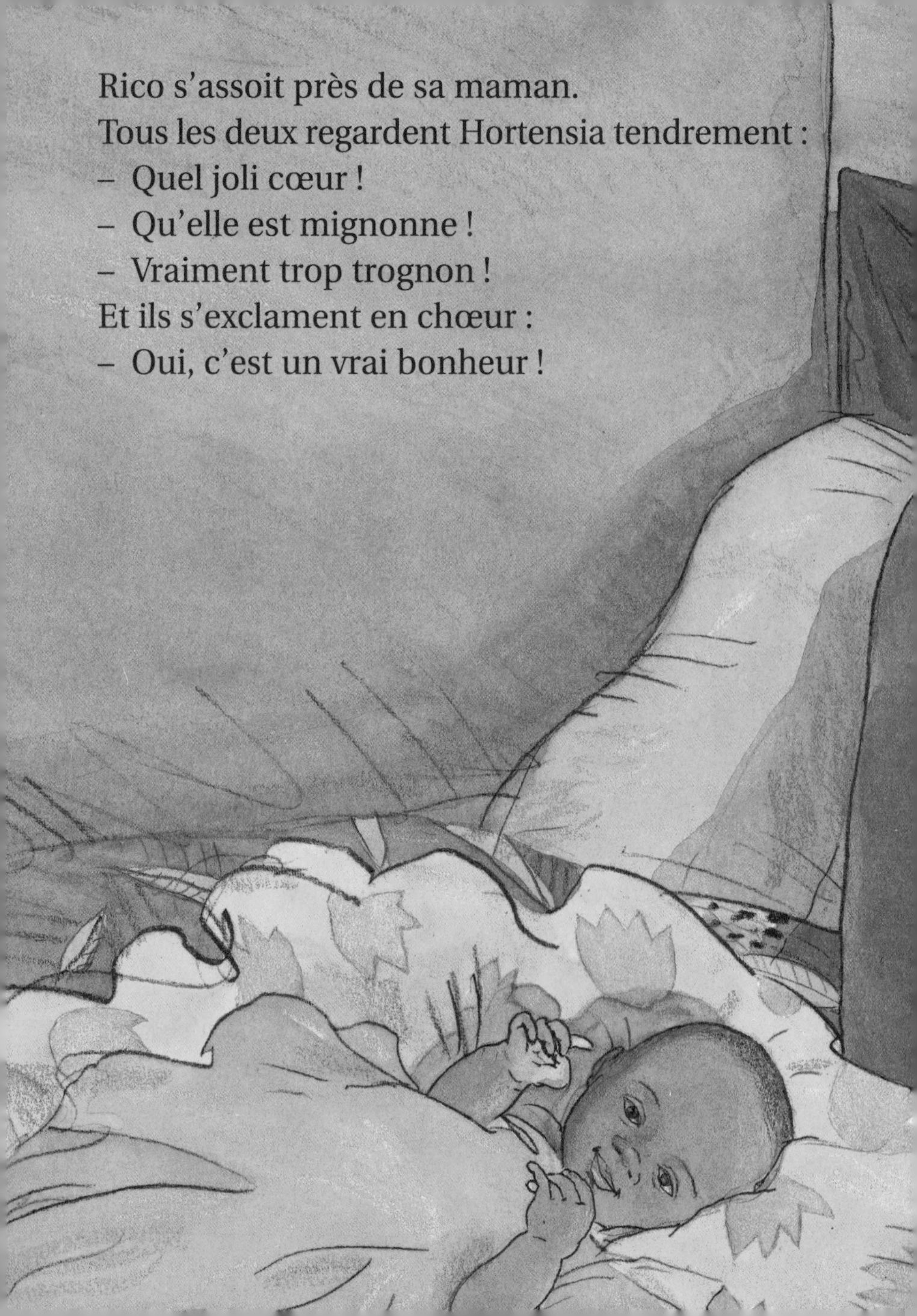

Rico s'assoit près de sa maman.
Tous les deux regardent Hortensia tendrement :
– Quel joli cœur !
– Qu'elle est mignonne !
– Vraiment trop trognon !
Et ils s'exclament en chœur :
– Oui, c'est un vrai bonheur !

Laurence Pain est née en 1963 à Sablé, dans la Sarthe. Après des études d'histoire et de lettres modernes, elle est devenue professeur de français en collège. Elle garde du temps pour ses trois enfants et pour l'écriture de romans. Ses ouvrages sont parus aux éditions Milan, Casterman et Bayard Jeunesse.

Claude et Denise Millet ont fait leurs études aux Arts décoratifs de Paris. Depuis, ils dessinent pour la publicité, la presse et l'édition.

Dans Bayard Poche, Claude et Denise Millet ont illustré :
La rentrée des mamans - Rosalie, Sidonie et Mélanie - Ma maman a besoin de moi - Un petit loup de plus (Les belles histoires)
La charabiole - La marelle magique - Les Pâtacolors, j'adore ! - Coup de théâtre à l'école - Les cent mensonges de Vincent - Invités à l'Élysée - Il était trois fois (J'aime lire)

Dépôt légal : mars 2005
Loi du 16 juillet 1949 sur les publications destinées à la jeunesse

Achevé d'imprimer en janvier 2005

Imprimé en Italie